主编　苏英霞
Lead Author Su Yingxia

编者　王淑红 解红
Authors Wang Shuhong Xie Hong

高等教育出版社·北京

《YCT标准教程》

总 策 划： 许　琳

总 监 制： 胡志平　　查卫平

监　　制： 段　莉　　贾巍巍　　李佩泽

执行策划： 梁　宇　　张慧君　　金飞飞　　李亚男

主　编： 苏英霞

编　者： 第1册　　王　蕾

第2册　　王　蕾

第3册　　王淑红　　郝　琳

第4册　　王淑红　　解　红

第5册　　王文龙　　王　蕾

第6册　　苏英霞　　王　蕾

前言
Preface

Youth Chinese Test (YCT) is an international standardized test of Chinese proficiency, which evaluates the ability of primary school and middle school students whose mother tongue is not Chinese to use the Chinese language in their daily lives and study. With the principle of "combining testing and teaching", we take much pleasure in publishing this series of *YCT Standard Course*.

1. Target Readers

· Overseas primary school and middle school students who take Chinese as a selective course.

· Students who are going to take the YCT.

2. Correspondence Between Textbooks and YCT

Textbook	YCT	Vocabulary	Class Hours (For Reference)
Book 1	Level 1	80	35～45
Book 2	Level 2	150	35～45
Book 3	Level 3	300	50～60
Book 4			50～60
Book 5	Level 4	600	60～70
Book 6			60～70

3. Design

· The series provides a scientific curriculum and effective teaching methods. It is compiled in accordance with the acquisition and study rules of Chinese as a second language, with a careful consideration of the features of primary school and middle school students' cognitive development.

· It aims to stimulate students' multiple intelligences. The series employs various learning approaches including pictures, activities, exercises, songs and stories that center on the same topic so as to promote primary school and middle school students' multi-intellectual development.

· It combines testing and teaching. Based on the syllabus of YCT, the series accomplishes the goals of "stimulating teaching with testing" and "promoting learning with testing" through the design of appropriate teaching content and exercises.

4. Features

· A full coverage of YCT. On the basis of an overall and careful analysis of YCT syllabus and test papers, the series is organized with function as the prominent building blocks and grammar as the underlying building blocks, so as to fully cover YCT's vocabulary, grammar and function items. Each lesson is accompanied by a YCT model test page. Students should be able to pass the corresponding level of YCT after finishing each book.

· An integrated combination of function and fun. The series places a great deal of emphasis on the authenticity of its content, focusing on language that is natural and useful, as well as interesting for learners. At the same time, a lot of effort has been made to take into account students' individual perspectives and learning styles. Through texts, games, songs and stories, we hope the series is able to arise students' interest in learning and help them enjoy it as they learn.

· A variety of activities and exercises in each section. There are activities and exercises in each teaching section in this series in order to provide teaching clues and exercise options for teachers.

· The primary focus is on listening and speaking, followed by reading and writing. The series follows the principle that students proceed with reading and writing after achieving the goal of listening and speaking. The first 4 books do not require students to learn how to write Chinese characters.

5. How to Use Book 4

YCT Standard Course (Book 4) is designed for primary school and middle school students. The book has 12 lessons, covering 78 words, 20 grammar and function items of YCT level 3. Lessons 1-11 are teaching lessons while Lesson 12 is a revision lesson. The suggested class hours for each lesson are 3~4 hours.

Each lesson in Book 4 consists of Key sentences, Let's learn (new words), Let's read (texts), Activities or exercises, Songs, Mini stories and Model test page.

· Key sentences. Each lesson has 2 key sentences. The sentences are both important function items of the lesson and the clues for the key grammar points.

· Let's learn (new words). Each lesson has about 10 new words, with no more than 3 words that are not included in the syllabus (all marked with *). Most nouns appear in the form of pictures and are followed with Chinese characters, *Pinyin* and English translation. The other words are followed with Chinese characters, *Pinyin*, English translation and collocations or sample sentences.

· Let's read (texts). Each lesson has 2 texts, with each text containing 1~2 turns, which mainly come from sentences from previous YCT. Questions after the texts help teachers evaluate if students have fully understood the texts.

· Activities and exercises. The book has both traditional exercises such as filling in the blank and matching, and interactive activities or games. The alternative activities and exercises help the class achieve a balance between being dynamic and static.

· Songs. Some of the lessons contain a song related to the topic. Students can sing and dance at the same time, which helps to develop their multiple intelligences through a variety of stimuli.

· Mini stories. Some of the lessons provide an interesting mini story related to the topic. Students can act it out in groups after reading it.

· Model test page. Each lesson has a YCT model test page attached, which helps students familiarize themselves with the test and pass YCT successfully after finishing the book.

The Confucius Institute Headquarters, China Higher Education Press and Chinese Testing International (CTI) have offered tremendous support and guidance during the planning and compiling of the series. Domestic and foreign experts in related fields have also given us many valuable comments and suggestions. It is our sincere wish that the *YCT Standard Course* will open the door to Chinese learning for overseas primary school and middle school students, and help them learn and grow happily and healthily.

The Compiling Team

January, 2016

目录 Contents

热身
Warm-up

1 Let's review the words. 00-01

Number the pictures 1-12 according to what you hear. Try saying the words that you have not numbered out loud.

2 Let's ask and answer.

① Nǐ jǐ niánjí? Nǐmen yǒu Hànyǔ kè ma?
你几年级？你们有汉语课吗？

② Nǐ xǐhuan shénme yùndòng? Wǒ néng gēn nǐ yìqǐ ... ma?
你喜欢什么运动？我能跟你一起……吗？

③ Nǐ pǎo / yóu de kuài ma? Shéi pǎo / yóu de zuì kuài?
你跑/游得快吗？谁跑/游得最快？

④ Péngyou de shēngrì, nǐ sòng shénme lǐwù?
朋友的生日，你送什么礼物？

Choose 2-3 questions to ask your partner, and then introduce him/her to the whole class.

3 Let's find.

but cake do homework oneself don't cry go out egg everyday first
kitten happy jogging panda play basketball puppy play soccer
put on shoes run fast put on clothes tomorrow quickest together

xiào 笑	xióng 熊	jī 鸡	dàn 蛋	dǎ 打	zì 自	jǐ 己	zuò 做
xiǎo 小	māo 猫	tā 它	gāo 糕	lán 篮	dì 第	zhǎo 找	zuò 作
gǒu 狗	wèi 喂	tī 踢	zú 足	qiú 球	yī 一	qǐ 起	yè 业
bié 别	chū 出	qù 去	zuì 最	xiē 些	zhè 这	chuān 穿	xié 鞋
kū 哭	pǎo 跑	de 得	kuài 快	lè 乐	míng 明	yī 衣	gěi 给
sòng 送	bù 步	dàn 但	shì 是	měi 每	tiān 天	fú 服	néng 能

Pair work. Use the words and phrases in pink to find the Chinese words hidden horizontally and vertically in the word search.

4 Let's match.

Wǒ hé nǐ yìqǐ dǎ lánqiú, hǎo ma? 我和你一起打篮球，好吗？	Tā zài tiàowǔ ne. 她在跳舞呢。
Nǎinai zuò shénme ne? 奶奶做什么呢？	Tā de táng dōu diū le. 他的糖都丢了。
Wèi, nǐ zhǎo shéi? 喂，你找谁？	Huānyíng, huānyíng. 欢迎，欢迎。
Nǐ néng zìjǐ zuò ma? 你能自己做吗？	Nǐ bāng wǒ ba. 你帮我吧。
Tā zěnme kū le? 他怎么哭了？	Zhāng lǎoshī zài ma? 张老师在吗？

Lesson 1

我们有一百零八个学生。

We have 108 students.

Key Sentences

Wǒmen yǒu yì bǎi líng bā ge xuésheng.

- 我们 有一百零八个 学生。 We have 108 students.

Wǒmen xuéxiào yǒu yì qiān bā bǎi duō ge xuésheng.

- 我们 学校 有一千八百多个 学生。

There are more than 1 800 students in our school.

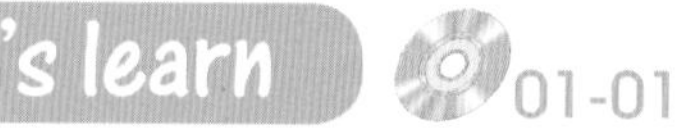

Let's learn

01-01

shǒujī

手机 mobile phone

diànnǎo

电脑 computer

bǎi 百	hundred 一百，二百
qiān 千	thousand 三千，四千
shǎo 少	less 太少了

líng

零 zero

shàngwǎng

上网 go online

The Price is Right: Prepare some cards with name of items, such as “手机” on one side. Write the reasonable price on the other side. Give students four choices and let them guess which price is right.

01-02

1 Nǐmen xuéxiào yǒu duōshao ge xuésheng?
你们 学校 有 多少 个 学生?

2 Wǒmen yǒu yì bǎi líng bā ge xuésheng.
我们 有一百 零 八个 学生。

3 Tài shǎo le, wǒmen xuéxiào yǒu yì qiān bā bǎi duō ge xuésheng.
太少了，我们 学校 有一千 八百 多 个 学生。

4 Yì qiān bā bǎi? Tài duō le!
一千 八百? 太 多 了!

Questions: 女孩的学校有多少个学生？男孩的学校呢？

1 Bāba, wǒ xiǎng mǎi yí ge xīn diànnǎo, hái xiǎng mǎi yí ge xīn shǒujī, wǒ de shǒujī bù néng shàngwǎng.
爸爸，我 想 买一个新 电脑，还 想 买一个新手机，我的手机 不能 上网。

2 Nǐ yǒu duōshao qián?
你有 多少 钱?

3 Wǒ yǒu èrshí kuài, diànnǎo hé shǒujī yào yì qiān èr bǎi kuài.
我 有二十块，电脑 和手机 要一千二百 块。

4 Nǐ yǒule yì qiān èr bǎi kuài zài shuō ba.
你有了一千二百 块 再 说 吧。

Questions: 他要买什么？要多少钱？

Do you know how much a computer and mobile phone usually cost?

Let's count and say

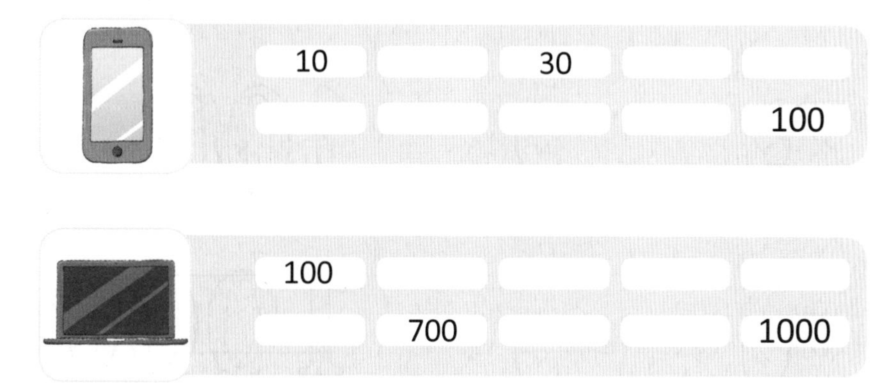

Try to figure out what numbers should be put in the blanks and say them aloud.

Let's DIY

Design a price tag for a computer or a mobile phone, and recommend that product to your classmates.

Let's chant

01-03

1

Yì bǎi yǒu liǎng ge líng,
一百有两个零，
yì qiān yǒu sān ge líng,
一千有三个零，
yì bǎi, yì qiān dōu yǒu líng.
一百、一千都有零。

100

1000

2

Yì bǎi ge xuésheng shǎo,
一百个学生少，
yì qiān ge xuésheng duō,
一千个学生多，
yì bǎi ge, yì qiān ge dōu shì xuésheng.
一百个、一千个都是学生。

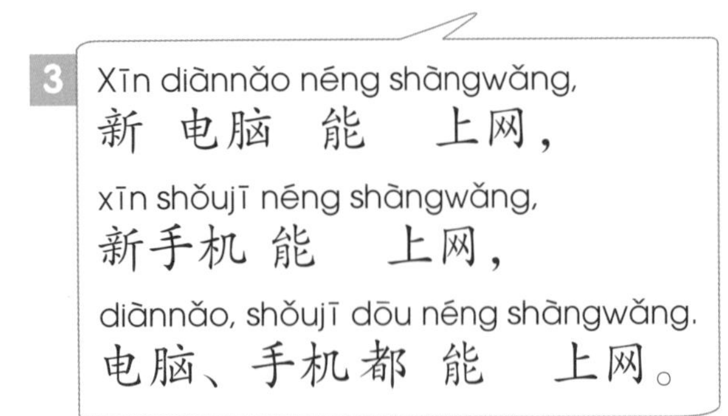

3

Xīn diànnǎo néng shàngwǎng,
新电脑能上网，
xīn shǒujī néng shàngwǎng,
新手机能上网，
diànnǎo, shǒujī dōu néng shàngwǎng.
电脑、手机都能上网。

Test

1 Listening: true or false. 01-04

1.		
2.		
3.		
4.		

2 Reading: choose the correct pictures.

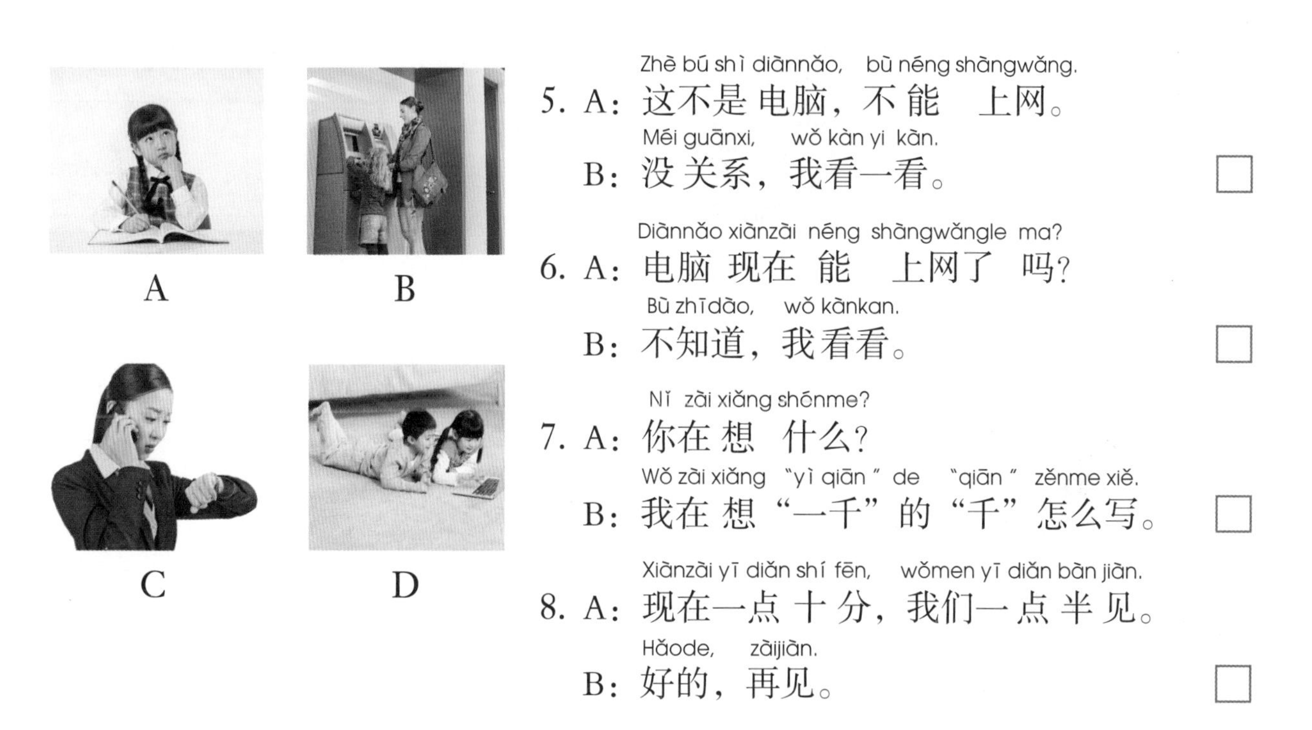

A B C D

5. A：这不是电脑，不能 上网。（Zhè bú shì diànnǎo, bù néng shàngwǎng.）
   B：没关系，我看一看。（Méi guānxi, wǒ kàn yi kàn.） □

6. A：电脑现在能 上网了 吗？（Diànnǎo xiànzài néng shàngwǎngle ma?）
   B：不知道，我看看。（Bù zhīdào, wǒ kànkan.） □

7. A：你在想 什么？（Nǐ zài xiǎng shénme?）
   B：我在想"一千"的"千"怎么写。（Wǒ zài xiǎng "yì qiān" de "qiān" zěnme xiě.） □

8. A：现在一点十分，我们一点半见。（Xiànzài yī diǎn shí fēn, wǒmen yī diǎn bàn jiàn.）
   B：好的，再见。（Hǎode, zàijiàn.） □

Lesson 2 你学汉语多长时间了？

How long have you been learning Chinese?

Key Sentences

Nǐ xuě Hànyǔ duō cháng shíjiān le?
• 你学汉语多长时间了？
How long have you been learning Chinese?

Yí ge bàn xiǎoshí shì jiǔshí fēnzhōng.
• 一个半小时是 90 分钟。One and a half hours is 90 minutes.

Let's learn 02-01

shíjiān
时间 time
时间长，有时间

bàn
半 half
半年，一个半

dú
读 to read
请你读，读和写

nán 难	difficult 不难，太难，很难
xiǎoshí 小时	hour 一个小时，一个半小时
tí 题	question 这个题，什么题？
dǒng 懂	to understand 不懂，懂了吗？

Touch the Card: The teacher reads the new words. The students touch the flash cards as quickly as possible when hearing the words.

Let's read 02-02

Question: 她学汉语多长时间了？

Questions: 半个小时是多少分钟？两个半小时是多少分钟？

Make a list for your Chinese teacher of how long your classmates have learned Chinese, how many minutes/hours they spend learning Chinese every day and what they think about learning Chinese.

1. Sān ge bàn xiǎoshí shì jiǔshí fēnzhōng ma?
三个半小时是 90 分钟吗?

2. Xué Hànyǔ bù nán, duì ma?
学汉语不难，对吗?

3. Zhège tí wǒ bù dǒng.
这个题我不懂。

A. Shénme tí?
什么题?

B. Duì, bù nán.
对，不难。

C. Bú shì, shì èrbǎi yīshí fēnzhōng.
不是，是 210 分钟。

Tóngxué hǎo, wǒ wèn nǐ,
同学好，我问你，
nǐmen zài nǎr xué Hànyǔ?
你们在哪儿学汉语?
Zài xuéxiào, xué Hànyǔ,
在学校，学汉语，
yìqǐ xuéxí yǒu yìsi.
一起学习有意思。

Xué Hànyǔ, nán bu nán?
学汉语，难不难?
Duō cháng shíjiān nǐ xuéxí?
多长时间你学习?
Wǒ xué le, yì nián bàn.
我学了，一年半，
tīng shuō dú xiě méi wèntí.
听说读写没问题。

Nǐ zhēn bàng, nǐ zhēn bàng,
你真棒，你真棒，
wǒ yě xiǎng lái xué Hànyǔ.
我也想来学汉语。
Kuài lái ba, huānyíng nǐ,
快来吧，欢迎你，
yìqǐ xuéxí yǒu yìsi.
一起学习有意思。

Mini story 02-04

Sūn Wùkōng hé Chāorén
孙悟空和超人

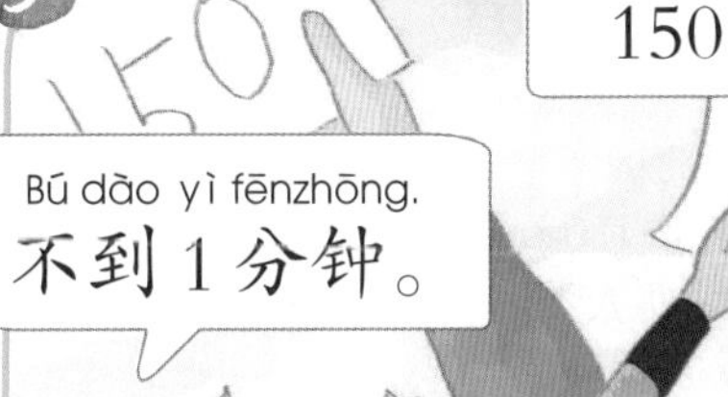

Have you heard of the Monkey King? If you want to know why he says five and a half hours is less than a minute, you can read the story of the Monkey King in *The Journey to the West*.

Test

1 Listening: true or false.

02-05

1.		
2.		
3.		
4.		

2 Reading: choose the correct pictures.

A

B

C

D

5\. 女：你来北京多长时间了？（Nǐ lái Běijīng duō cháng shíjiān le?）
男：三年了。（Sān nián le.） ☐

6\. 女：这些题真的很难吗？（Zhèxiē tí zhēnde hěn nán ma?）
男：每个题都很难，我不懂。（Měi ge tí dōu hěn nán, wǒ bù dǒng.） ☐

7\. 女：你会做这个题吗？（Nǐ huì zuò zhège tí ma?）
男：我也不会，这个题太难了，我们一起去问问老师吧。（Wǒ yě bú huì, zhège tí tài nán le, wǒmen yìqǐ qù wènwen lǎoshī ba.） ☐

8\. 女：高老师，我们一起吃饭吧，您几点下课？（Gāo lǎoshī, wǒmen yìqǐ chīfàn ba, nín jǐ diǎn xiàkè?）
男：好，我11点半下课。（Hǎo, wǒ shíyī diǎn bàn xiàkè.） ☐

Let's match

Find the opposites.

kāi 开

mǎi 买

kū 哭

lái 来

xiào 笑

qù 去

guān 关

mài 卖

Let's say

Take turns to say a sentence about this picture, without repeating each other.

Words you can use: 开门 (kāimén), 关门 (guānmén), 中午 (zhōngwǔ), 就 (jiù), 卖 (mài), 完 (wán), 杯子 (bēizi)

E.G. Zhège shāngdiàn zhōngwǔ bù guānmén.
这个 商店 中午 不 关门。

Mini story

03-03

Mén zěnme guān bu shàng ne?

门怎么关不上呢?

1

Zhōngwǔ, xiǎo hóuzi zuò zài ménkǒu chī shuǐguǒ.
中午，小猴子坐在门口吃水果。

2

Chī wán shuǐguǒ, xiǎo hóuzi xiǎng guānmén qù tī zúqiú.
吃完水果，小猴子想关门去踢足球。

3

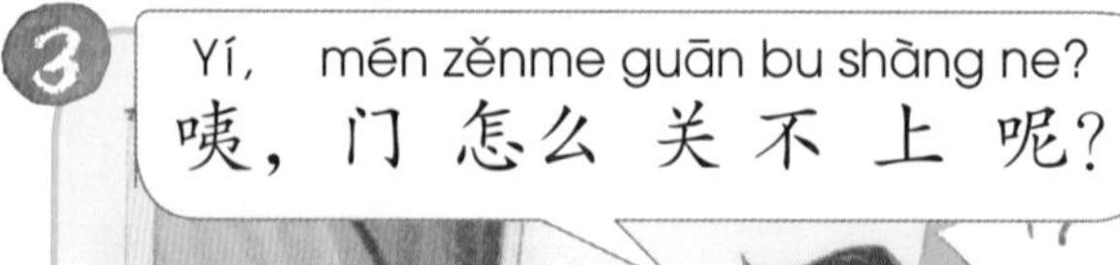

4

5

6

Mén guānshang le, xiǎo hóuzi gāogāoxìngxìng qù tī zúqiú le.
门关上了，小猴子高高兴兴去踢足球了。

1. Read the story with your partner.
2. Act out the story in pairs. One plays the little monkey while the other one narrates.

1 Listening: true or false.  03-04

1.		
2.		
3.		
4.		

2 Reading: choose the correct sentences.

5. 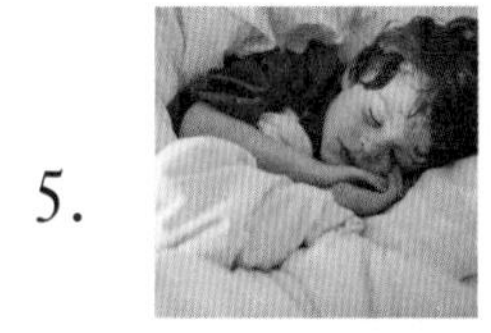

Xiāngjiāo mài wán le.
A 香蕉 卖 完 了。
Wǒ mǎi zhège bēizi.
B 我 买 这个 杯子。
Zuótiān wǎnshang wǒ jiǔ diǎn jiù shuìjiào le.
C 昨天 晚上 我 九 点 就 睡觉 了。

6. 

Hǎo, bǎ mén guānle zài chūqù.
A 好，把 门 关了 再 出去。
Xiānsheng, zhè bēizi de yánsè kěyǐ ma?
B 先生， 这 杯子 的 颜色 可以 吗？
Méi guānxi, wǒ bú lèi, hěn kuài jiù xiě wán le.
C 没 关系，我 不累，很 快 就 写 完 了。

7. 

Bàba, wǒ xiě wán le.
A 爸爸，我 写 完 了。
Zhè shì péngyou sòng de bēizi, piàoliang ma?
B 这 是 朋友 送 的 杯子，漂亮 吗？
Wǒ shàngwǎng kànle zhè běn shū, nǐ kànle ma?
C 我 上网 看了 这 本 书，你 看了 吗？

8. 

Wǒ qī diǎn jiù néng dào jiā.
A 我 七 点 就 能 到 家。
Nǐ wèi shénme bǎ mén guān le?
B 你 为 什么 把 门 关 了？
Zhōngwǔ zài wàimian chī shénme le?
C 中午 在 外面 吃 什么 了？

Lesson 4 我感冒了。

I have a cold.

Key Sentences

Wǒ gǎnmào le.
- 我 感冒 了。 I have a cold.

Wǒ chīle yìdiǎnr miànbāo, hēle yìdiǎnr shuǐ.
- 我吃了一点儿 面包，喝了一点儿水。
I ate a little bread and drank a little water.

Let's learn 04-01

shēntǐ 身体	body, health 身体好
shūfu 舒服	comfortable 不舒服
shēngbìng 生病	sick 他生病了。
gǎnmào 感冒	have a cold 我感冒了。
xiūxi 休息	have a rest 休息十分钟
téng 疼	hurt, ache 脚疼
yào 药	medicine 吃药
yìdiǎnr 一点儿	a little, a bit 吃一点儿药

Guesswork: Split into 2-3 teams. One student acts out the word on the card and other students in the same team guess what the word is. The team that guesses the most words correctly wins.

Let's read 04-02

Question: 大明怎么了？

Questions: 他吃了什么？他吃药了吗？

1. What do you do when you have a cold?
2. Role Play: Seeing a doctor.

Let's match

1. Nǐ nǎr bù shūfu?
你哪儿不舒服？

2. Shēngbìng le, néng qù tī zúqiú ma?
生病了，能去踢足球吗？

3. Nǐ gǎnmào le, chī yìdiǎnr yào ba.
你感冒了，吃一点儿药吧。

A. Wǒ néng bù chī yào ma?
我能不吃药吗？

B. Zài jiā xiūxi ba, duō hē yìdiǎnr shuǐ.
在家休息吧，多喝一点儿水。

C. Tóu hěn téng, xiǎng shuìjiào.
头很疼，想睡觉。

Let's sing

04-03

Zǎoshang hǎo, zǎoshang hǎo.
早上好，早上好，
nǐ de shēntǐ hǎo bu hǎo?
你的身体好不好？
Zǎoshang hǎo, zǎoshang hǎo.
早上好，早上好，
wǒ de shēntǐ fēicháng hǎo.
我的身体非常好。

Pǎo pǎo pǎo, shēntǐ hǎo.
跑跑跑，身体好，
bù shēngbìng, bù gǎnmào.
不生病，不感冒。
Tiào tiào tiào, shēntǐ hǎo,
跳跳跳，身体好，
bù shēngbìng, bù gǎnmào.
不生病，不感冒。

Yìqǐ pǎo, shēntǐ hǎo.
一起跑，身体好，
bù shēngbìng, bù gǎnmào.
不生病，不感冒。
Yìqǐ tiào, shēntǐ hǎo.
一起跳，身体好，
Wǒmen shēntǐ dōu hěn hǎo.
我们身体都很好。

Húli shēngbìng le ma?

狐狸 生病 了吗?

Test

1 Listening: true or false.  04-05

1.		
2.		
3.		
4.		

2 Reading: choose the correct pictures.

A

B

C

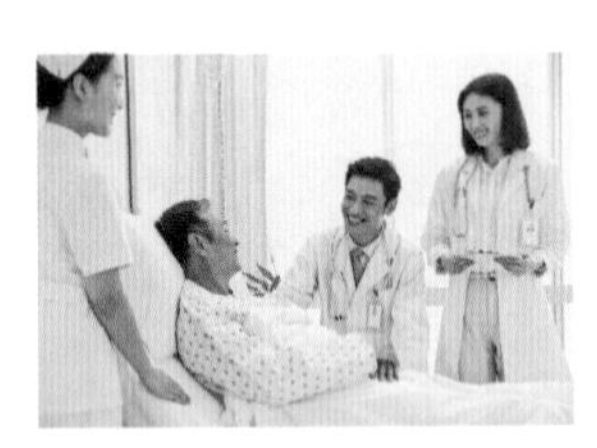
D

Nǐ yéye de shēntǐ hǎo xiē le ma?
5. A：你爷爷的身体 好 些了吗？
Hǎo duō le, jīntiān jiù kěyǐ chūyuàn le.
B：好 多了，今天 就可以出院 了。 ☐

Tā zěnme le?
6. A：她怎么了？
Méi shìr, tā zuótiān shuì de tài wǎn le.
B：没事儿，她昨天 睡得太 晚了。 ☐

Nǐ nǎinai shēntǐ zěnmeyàng?
7. A：你奶奶身体 怎么样？
Hěn hǎo, tā měi tiān dōu qù pǎobù, hěn shǎo shēngbìng.
B：很 好，她每 天 都 去跑步，很 少 生病。 ☐

Nǐ shēntǐ bù shūfu?
8. A：你身体不舒服？
Méiyǒu, wǒ tài lèi le, xiǎng xiūxi jǐ fēnzhōng.
B：没有，我太累了，想 休息几分钟。 ☐

Lesson 5 把门关上。

Close the door.

Key Sentences

Qǐng jìn, kuài bǎ mén guānshang.
- 请进，快把门关上。 Come in please and close the door.

Bù hǎo, xiǎo māo bǎ yú chī le!
- 不好，小猫把鱼吃了！ Oh no, the cat ate the fish!

05-01

yú
鱼 fish
小鱼，大鱼

cài
菜 (a dish of cooked food)
中国菜

guǒzhī
果汁 juice
喝果汁

xǐzǎo
洗澡 take a shower or bath
爱洗澡

jìn
进 come in, go in
进门，进来

tā 它	it 它们，它的

Bingo: Prepare a 3×3 bingo sheet for each student. The teacher says the words and the students circle the right one on the sheets. Say "Bingo" when you get 3 in a row.

Let's read 05-02

Question: 女孩让妈妈做什么？

Question: 鱼在哪儿？

Do you have a pet? If so, what does it like to eat? How do you take care of it?

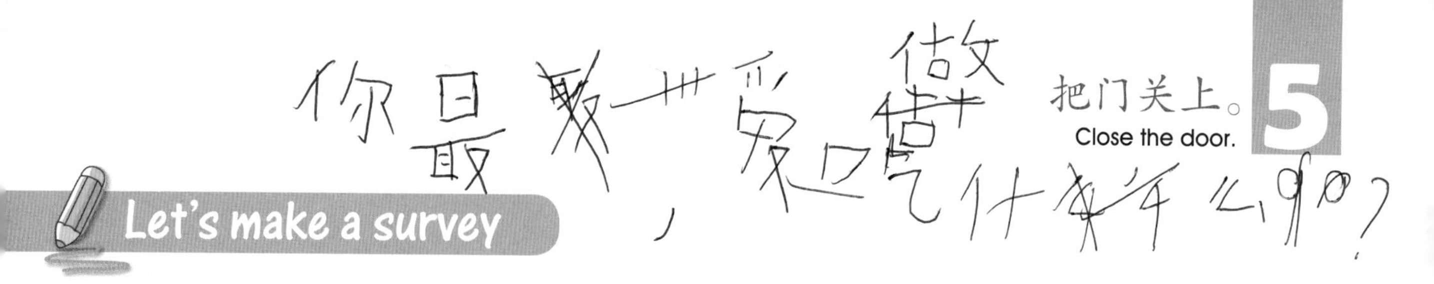

Let's make a survey

Find out what your family and friends' favorite kinds of food and drink are, and what they like to do in their spare time. You can use the words given as reference.

mǐfàn 米饭	miànbāo 面包	dàngāo 蛋糕	jiǎozi 饺子	miàntiáor 面条儿	
jīdàn 鸡蛋	cài 菜	shuǐguǒ 水果	xīguā 西瓜	píngguǒ 苹果	xiāngjiāo 香蕉

niúnǎi 牛奶	shuǐ 水
chá 茶	guǒzhī 果汁

kànshū 看书	xuéxí 学习	xiězì 写字	dúshū 读书	zuòtí 做题	xiě zuòyè 写作业	huà huàr 画画儿	wèn wèntí 问问题
shàngwǎng 上网	yùndòng 运动	pǎobù 跑步	yóuyǒng 游泳	tī zúqiú 踢足球	dǎ lánqiú 打篮球	chànggē 唱歌	tiàowǔ 跳舞
wán 玩	shuìjiào 睡觉	dǎ diànhuà 打电话	xǐzǎo 洗澡	xiào 笑	kū 哭	mǎi dōngxi 买东西	chuān xīnyī 穿新衣

	zuì ài chī 最爱吃	zuì ài hē 最爱喝	zuì ài zuò 最爱做
yéye / nǎinai 爷爷/奶奶			
bàba / māma 爸爸/妈妈			
gēge / jiějie 哥哥/姐姐			
dìdi / mèimei 弟弟/妹妹			
tóngxué / péngyou 同学/朋友			
xiǎo māo / xiǎo gǒu 小猫/小狗			
nǐ zìjǐ 你自己			

Let's chant 05-03

Nǎinai ài chī qīngcài, bǎ qīngcài chī le.
奶奶爱吃 青菜，把 青菜 吃了。

Yéye ài hē guǒzhī, bǎ guǒzhī hē le.
爷爷爱喝 果汁，把 果汁喝了。

Mèimei ài chī miànbāo, bǎ miànbāo chī le.
妹妹爱吃 面包，把 面包 吃了。

Dìdi ài hē niúnǎi, bǎ niúnǎi hē le.
弟弟爱喝牛奶，把牛奶喝了。

Gēge ài chī shénme? Māma zhīdào.
哥哥爱吃 什么？妈妈知道。

Jiějie ài hē shénme? Bàba zhīdào.
姐姐爱喝 什么？爸爸知道。

Māo ài chī shénme? Xiǎo yú zhīdào.
猫 爱吃 什么？小 鱼 知道。

Wǒ ài hē shénme? Shéi zhīdào?
我爱喝 什么？谁 知道？

Test

1 Listening: choose the correct answers.  05-04

1. A 它把菜吃了 (tā bǎ cài chī le)　B 它把鱼吃了 (tā bǎ yú chī le)　C 它把面包吃了 (tā bǎ miànbāo chī le) [circled: C]

2. A 把门关上 (bǎ mén guānshang)　B 把药吃了 (bǎ yào chī le)　C 把水喝了 (bǎ shuǐ hē le) [circled: C]

3. A 水 (shuǐ)　B 牛奶 (niúnǎi)　C 果汁 (guǒzhī) [circled: B]

4. A 在吃鱼 (zài chī yú)　B 看鱼游泳 (kàn yú yóuyǒng)　C 在洗澡 (zài xǐzǎo) [circled: C]

2 Reading: choose the correct pictures.

A

B

C

D

5\. A: 把菜吃了。 (Bǎ cài chī le.)
　B: 我吃饱了，不想吃了。 (Wǒ chī bǎo le, bù xiǎng chī le.) [C]

6\. A: 妈妈，我们出去玩儿吧。 (Māma, wǒmen chūqù wánr ba.)
　B: 妈妈把菜做好了，吃了饭再出去玩儿。 (Māma bǎ cài zuò hǎo le, chīle fàn zài chūqù wánr.) [A]

7\. A: 你觉得这两杯果汁哪个好喝？ (Nǐ juéde zhè liǎng bēi guǒzhī nǎ ge hǎohē?)
　B: 我觉得都很好喝。 (Wǒ juéde dōu hěn hǎohē.) [D]

8\. A: 下雨了。 (Xiàyǔ le.)
　B: 快进来吧，别感冒了。 (Kuài jìnlai ba, bié gǎnmào le.) [B]

Lesson 6

你去过我们的新教室吗?

Have you been to our new classroom?

Key Sentences

Nǐ qùguo wǒmen de xīn jiàoshì ma?
• 你去过 我们的新教室 吗?
Have you been to our new classroom?

Qiánbian dōu shì xīn jiàoshì.
• 前边 都是新教室。The classrooms in front of us are all new.

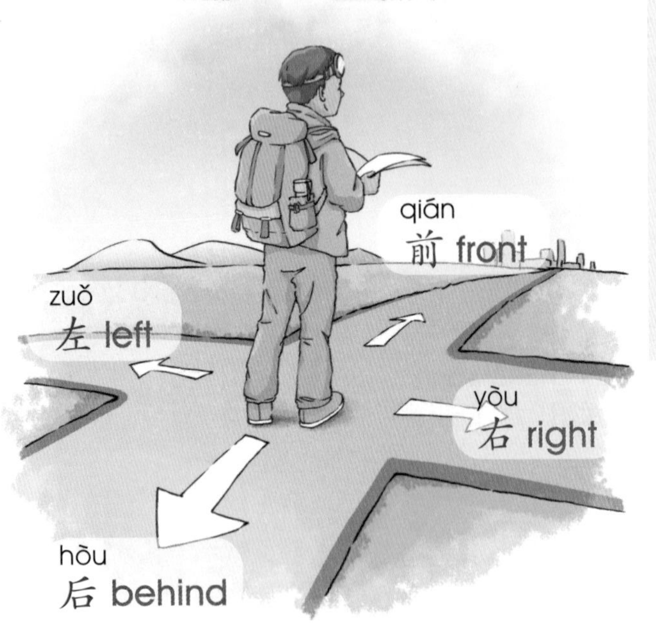

jiàoshì 教室	classroom 新教室，汉语教室
zǒu 走	go 快走，慢走，我们走吧!
guo 过	(used after a verb to indicate past experience) 去过，吃过

Treasure Hunt: Hide some cards around the classroom, and then use the directions you have learned to direct other students to find them. The closer the seeker gets to a card, the louder the students guiding him/her should give the directions.

Let's read 06-02

Question: 她去过新教室吗？

Question: 他们的教室在哪儿？

Have you been to other classrooms in your school? Draw a sketch map of those classrooms and tell your partner where they are.

Let's match

1.	Nǐ qùguo Běijīng ma? 你去过北京吗?	A.	Kàn, qiánbian dōu shì xīn jiàoshì. 看，前边 都是新教室。
2.	Yī niánjí zài nǎr? 一年级在哪儿?	B.	Qùguo, nǐ ne? 去过，你呢?
3.	Xīn jiàoshì zài nǎr? 新教室在哪儿?	C.	Èr niánjí de zuǒbian. 二年级的左边。

Let's color and say

Help Xiaoming to figure out what time each picture was taken by marking the sun's position in red and explain your answer to your classmates using the sentences below.

Tàiyáng zài zuǒbian, yǐngzi zài
太阳 在 左边，影子在_____，

shì wǔ.
是_____午。

Tàiyáng zài qiánbian, yǐngzi zài
太阳 在 前边，影子 在_____，

shì
是_______。

Tàiyáng zài yòubian, yǐngzi zài
太阳 在 右边，影子在_____，

shì
是_______。

Mini story

06-03

Xié xiàbian de huār
鞋下边的画儿

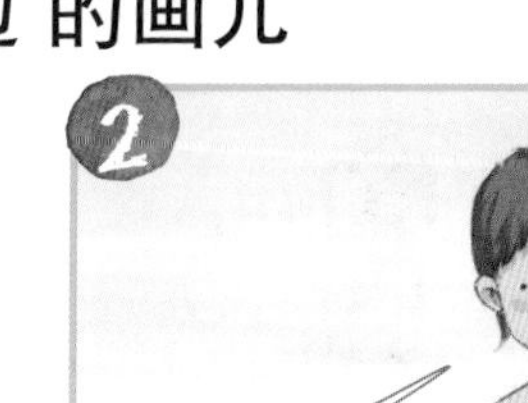

Liǎng ge xiǎo péngyou bǐ yi bǐ, kàn shéi chuān yīfu chuān de kuài.
两个小朋友比一比，看谁穿衣服穿得快。

Dàwèi hěn kuài fēn chū le zuǒbian hé yòubian.
大卫很快分出了左边和右边。

Dàwèi xié xiàbian de huār bāng tā déle dì yī.
大卫鞋下边的画儿帮他得了第一。

Do you think it's a good idea to have a picture on the bottom of your shoes? Retell the story.

Test

1 Listening: true or false. 06-04

1.		
2.		
3.		
4.		

2 Reading: choose the correct answers.

Wǒ zhōngwǔ chī duō le, wǎnshang bù chī le.
5. 女：我 中午 吃 多了，晚上 不 吃了。
Nà wǒmen chūqù
男：那我们 出去（　　）。

chīfàn / A 吃饭　　chī Zhōngguó cài / B 吃 中国 菜　　zǒuzou / C 走走

Nǎge shì nǐ de fángjiān?
6. 男：哪个是你的 房间？
Zuǒbian de shì wǒ de, de shì wǒ jiějie de.
女：左边 的是我的，（　　）的是我姐姐的。

yòubian / A 右边　　xuéxiào / B 学校　　shāngdiàn / C 商店

Wèi, Bái lǎoshī, wǒ dào xuéxiào le, nǐ zài nǎr?
7. 男：喂，白老师，我到 学校了，你在哪儿？
Wǒ zài nǐ de bian.
女：我在你的（　　）边。

lǐ / A 里　　wài / B 外　　hòu / C 后

Qiánbian yǒu jiā xīn fàndiàn, yìqǐ chī diǎnr ba?
8. 男：前边 有家新 饭店，一起吃点儿吧？
Wǒ chī , xièxie nǐ.
女：我吃（　　），谢谢你。

méi / A 没　　guo / B 过　　le / C 了

Lesson 7 你们每天怎么去学校？

How do you go to school every day?

Key Sentences

Qù dòngwùyuán zǒu zhè tiáo lù, duì ma?
- 去 动物园 走这 条路，对吗？This is the way to the zoo, isn't it?

Wǒ zuò gōnggòng qìchē qù xuéxiào, gēge zìjǐ kāichē qù xuéxiào.
- 我 坐 公共 汽车去 学校，哥哥自己开车 去学校。
  I go to school by bus and my brother drives to school.

Let's learn 07-01

gōnggòng qìchē
公共 汽车 bus
坐公共汽车

dòngwùyuán
动物园 zoo
去动物园

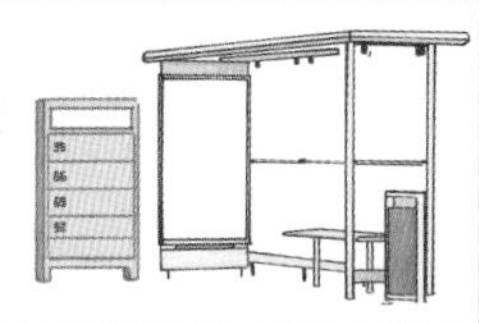

chēzhàn
车站 bus stop
在车站

kāi
开 drive
开车

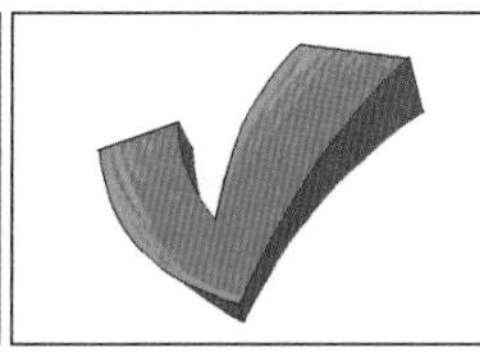

duì
对 right
对吗？不对

lù
路 road
大路，小路

yuǎn 远	far 很远，不远
jìn 近	near 很近，不近
pángbiān 旁边	beside 学校旁边
tiáo 条	(a measure word) 一条路

Bingo: Prepare a 3×3 bingo sheet for each student. The teacher says the way to school and the students circle the right one on the sheets. Shout "Bingo" when you get 3 in a row.

Question:她每天怎么去学校？

Question:这条路能到动物园，对吗？

1. How do you go to school every day?
2. Can you give directions from your school to the zoo/store?

Let's draw and sing

07-03

Color in the bus with any color you like.

Wǒ ài kāi gōnggòng qìchē
我爱开 公共 汽车

Wǒ ài chē, wǒ ài chē, wǒ ài kāi gōnggòng qìchē.
我爱车，我爱车，我爱开 公共 汽车。
Lǎoshī a, tóngxué a, nǐmen zuò hǎo wǒ zài kāi.
老师 啊，同学 啊，你们 坐 好 我 再 开。
Yuǎnde lái, jìnde lái, sòng nǐmen qù dòngwùyuán.
远的 来，近的来，送 你们去 动物园。
Nín zǒu hǎo, nín wán hǎo, wǒ zài chēzhàn děng nín lái.
您 走 好，您 玩 好，我在 车站 等 您来。

Let's guess

Do you know the names of these vehicles? Choose the name for each picture.

gōnggòng qìchē | xiàochē | dàbāchē | shuāngcéng bāshì
A.公共 汽车 B.校车 C.大巴车 D.双层 巴士

1

☐

2

☐

3

☐

4

☐

Let's find

Logic Exercise: Each row of pictures below is arranged in a pattern. Look carefully and choose the right picture to continue the pattern. Read the word patterns aloud to check you have the same answers as your classmates.

Test

1 Listening: choose the correct answers.

07-04

1. A 不 知道 (bù zhīdào) B 对 (duì) C 不 对 (bú duì)
2. A 动物园 (dòngwùyuán) B 车站 (chēzhàn) C 学校 (xuéxiào)
3. A 很 远 (hěn yuǎn) B 很 近 (hěn jìn) C 不 知道 (bù zhīdào)
4. A 学校 前边 (xuéxiào qiánbian) B 学校 后边 (xuéxiào hòubian) C 学校 旁边 (xuéxiào pángbiān)

2 Reading: choose the correct pictures.

A

B

C

D

Nín hǎo, nín zhīdào qù dòngwùyuán de lù ma?
5. A: 您好，您 知道 去 动物园 的路吗?
Zhīdào. Jiù zài qiánbian, zài zǒu wǔ fēnzhōng jiù dào le.
B: 知道。就在 前边，再走 5 分钟 就到了。 ☐

Nǐmen zěnme qù dòngwùyuán?
6. A: 你们 怎么 去 动物园?
Zuò gōnggòng qìchē.
B: 坐 公共 汽车。 ☐

Nǐ jiànguo dà xióngmāo ma?
7. A: 你 见过 大 熊猫 吗?
Wǒ zài dòngwùyuán jiànguo, hěn kě'ài.
B: 我在 动物园 见过，很可爱。 ☐

Nǐ māma pángbiān nà ge rén shì shéi?
8. A: 你 妈妈 旁边 那个人 是谁?
Shì tā de xuésheng.
B: 是她的 学生。 ☐

Lesson 8 要下雨了。

It's going to rain.

Key Sentences

Yào xiàyǔ le.
- 要下雨了。 It's going to rain.

Yào chídào le.
- 要迟到了。 I'll be late.

Let's learn 08-01

yǔsǎn
雨伞 umbrella
漂亮的雨伞

ná
拿 take
拿雨伞

lán
蓝 blue
蓝色的花

huài
坏 bad, broken
雨伞坏了

màn 慢	slow 太慢，慢一点儿
chīdào 迟到	late 要迟到了

Penny Bank: The teacher hands out the penny bank paper (with words on it) to all students and says the words. The students color the penny banks with words they hear. The student who gets the most penny bank colored wins.

Question:妈妈说什么?

Question:乌龟开车开得怎么样?

Do you like rainy days? What color of umbrellas do you like?

Yāo xiàyǔ le, yào xiàyǔ le, dòngwùmen zǎo dōu zhīdào le.
要下雨了，要下雨了，动物们 早都 知道 了。

Yànzi shuǐmiàn dī dī fēi, mǎyǐ bānjiā kuài kuài pǎo,
燕子 水面 低低飞，蚂蚁搬家 快 快 跑，

Yú ér shuǐmiàn tiào tiào tiào.
鱼儿 水面 跳 跳 跳。

Dàyǔ dàyǔ kuài xià ba, wǒmen dōu zuò hǎo zhǔnbèi la!
大雨大雨快 下吧，我们 都 做好 准备 啦！

Let's choose and write

Choose the word that matches the picture and write down the letter. And then choose one of them to make a sentence with "要______了，你______了吗？".

Yào qù wàibian le, nǐ hēshuǐ le me?
E.G. 要去 外边 了，你 喝水 了 吗？

A.	B.	C.	D.
xiàxuě, chuān yīfu 下雪、穿 衣服	chídào, ná shūbāo 迟到、拿书包	kāichē, guān chēmén 开车、关 车门	pǎobù, chuān yùndòngxié 跑步、穿 运动鞋

1 

2 

3 

4 

08-04

Wūguī de biǎo

乌龟的表

Read the story and act it out.

Test

1 Listening: choose the correct pictures. 08-05

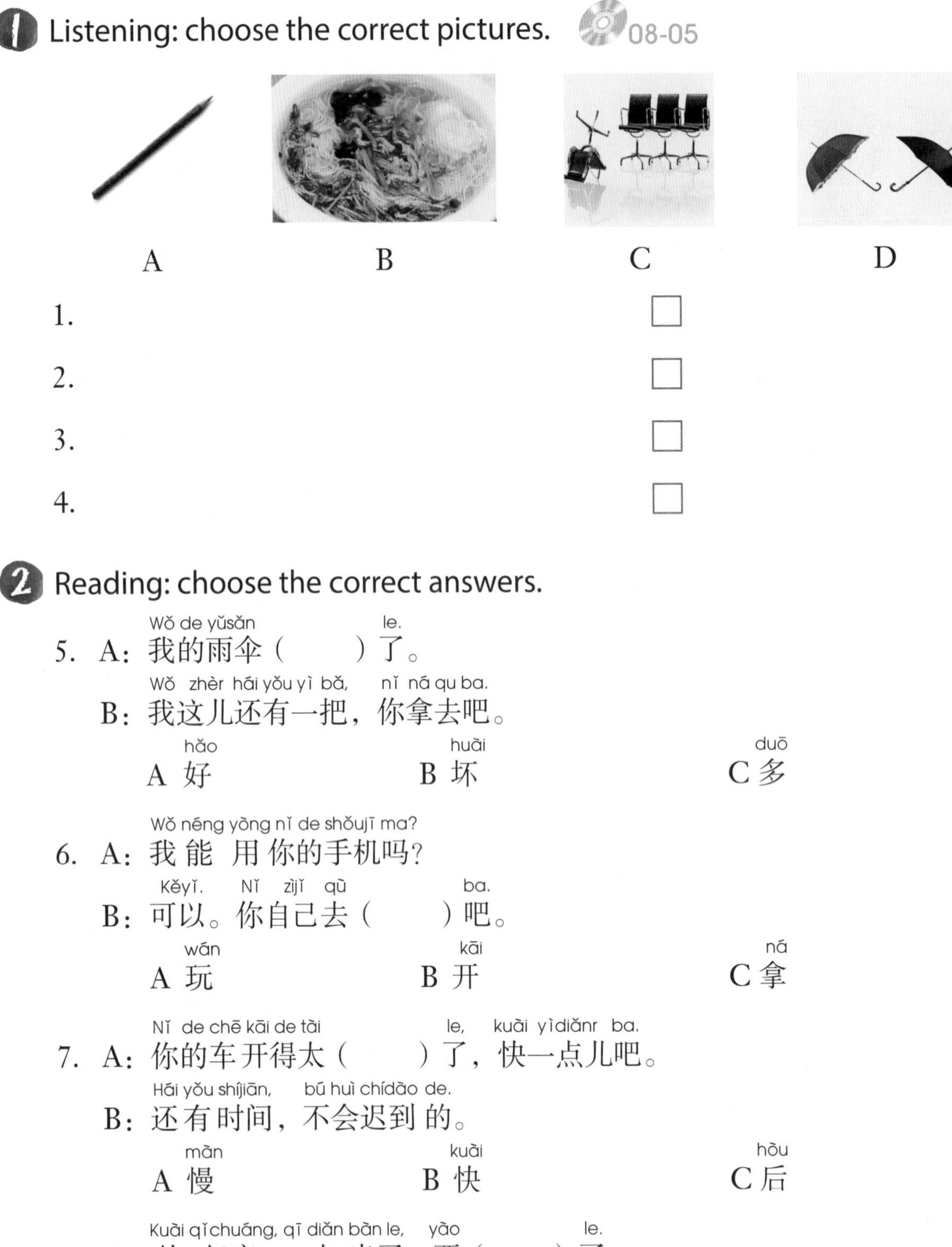

A B C D

1. ☐
2. ☐
3. ☐
4. ☐

2 Reading: choose the correct answers.

5\. A：Wǒ de yǔsǎn (　　) le.
我的雨伞（　　）了。
B：Wǒ zhèr hái yǒu yì bǎ, nǐ ná qu ba.
我这儿还有一把，你拿去吧。

A hǎo 好　B huài 坏　C duō 多

6\. A：Wǒ néng yòng nǐ de shǒujī ma?
我能用你的手机吗？
B：Kěyǐ. Nǐ zìjǐ qù (　　) ba.
可以。你自己去（　　）吧。

A wán 玩　B kāi 开　C ná 拿

7\. A：Nǐ de chē kāi de tài (　　) le, kuài yìdiǎnr ba.
你的车开得太（　　）了，快一点儿吧。
B：Hái yǒu shíjiān, bú huì chídào de.
还有时间，不会迟到的。

A màn 慢　B kuài 快　C hòu 后

8\. A：Kuài qǐchuáng, qī diǎn bàn le, yào (　　) le.
快起床，7点半了，要（　　）了。
B：Yéye, jīntiān shì Xīngqīliù.
爷爷，今天是星期六。

A gǎnmào 感冒　B chídào 迟到　C shàngwǎng 上网

Lesson 9 你是什么时候去的？

When did you go there?

Key Sentences

Wǒ shì qùnián bā yuè qù de.
- 我是去年 8 月去的。I went there in August last year.

Wǒmen shì zuò fēijī qù de.
- 我们是坐飞机去的。We went there by plane.

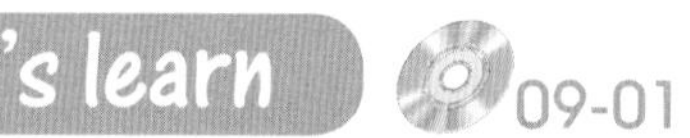

Let's learn

09-01

fēijī
飞机 plane
坐飞机，大飞机

lèi
累 tired
很累

shíhou 时候	time 什么时候
qùnián 去年	last year 去年8月
cì 次	time 第一次，几次

Touch the Card: The teacher reads the new words. The students touch the flash cards as quickly as possible when hearing the words.

Question: 男孩是什么时候去中国的？

Question: 他们是怎么去中国的？

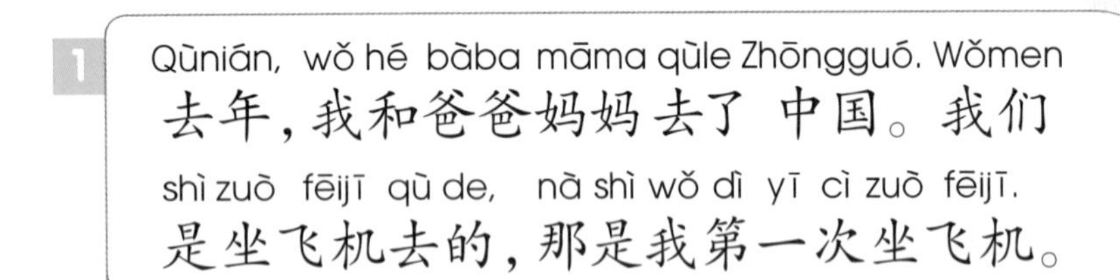
Mark the countries/cities/places you've been to on the map and tell your classmates how you got there.

Let's match and make sentences

1. Nǐ shì zěnme qù de?
你是怎么去的？

2. Nǐ shì shénme shíhou qù Běijīng de?
你是什么时候去北京的？

3. Zuò fēijī qù Zhōngguó lèi ma?
坐飞机去中国累吗？

A. Wǒ shì qùnián bā yuè qù de.
我是去年8月去的。

B. Yǒu yìdiǎnr lèi.
有一点儿累。

C. Wǒ shì zuò gōnggòng qìchē qù de.
我是坐公共汽车去的。

place

xīn xuéxiào 新学校
yīyuàn 医院
dòngwùyuán 动物园
Běijīng 北京

time

qùnián 去年
shàng xīngqī 上星期
zuótiān 昨天

method

zuò fēijī 坐飞机
kāichē 开车

Pick a word from each file to make a sentence.

E.G. Wǒ qùguo Běijīng, wǒ shì qùnián qù de, wǒ shì zuò fēijī qù de.
我去过北京，我是去年去的，我是坐飞机去的。

Let's chant

09-03

Zuò fēijī
坐飞机

Yī èr sān, sān èr yī,
一二三，三二一，
wǒ hé bàba zuò fēijī.
我和爸爸坐飞机。
Zuò shang fēijī qù nǎli?
坐上飞机去哪里？
Wǒmen fēi dào Zhōngguó qu.
我们飞到中国去。
Zhōngguó dà, rénkǒu duō.
中国大，人口多。
Huánghé huáng, Chángjiāng cháng.
黄河黄，长江长。
Gāoshān cǎoyuán zhēn měilì!
高山草原真美丽！

Yī èr sān, sān èr yī,
一二三，三二一，
wǒ hé māma zuò fēijī.
我和妈妈坐飞机。
zuò shang fēijī qù nǎli?
坐上飞机去哪里？
Wǒmen fēi dào Běijīng qu.
我们飞到北京去。
Pá Chángchéng, chī kǎoyā,
爬长城，吃烤鸭，
qù Gùgōng, tīng jīngjù.
去故宫，听京剧。
Yīdìng xué huì shuō Hànyǔ.
一定学会说汉语。

09-04

Wǒmen de jiā zài nǎr?

我们的家在哪儿？

1 Māma, gēge qùnián zuò fēijī huíjiā le,
妈妈，哥哥去年坐飞机回家了，
wǒ shénme shíhou huíjiā?
我什么时候回家？

2 Nǐ tài xiǎo, zuò fēijī huíjiā huì hěn lèi de.
你太小，坐飞机回家会很累的。

1 Wǒmen de jiā hěn yuǎn ma?
我们的家很远吗？
Wǒmen de jiā zài nǎr?
我们的家在哪儿？

2 Wǒmen de jiā zài Zhōngguó.
我们的家在中国。

1 Wǒmen de jiā shénmeyàng?
我们的家什么样？

2 Nàli yǒu dàdà de guǎngchǎng, chángcháng de qiáng hé gāogāo de shān.
那里有大大的广场、长长的墙和高高的山。

1 Yǒu zhúzi ma?
有竹子吗？

2 Yǒu, nàli yǒu zuìhǎo de zhúzi!
有，那里有最好的竹子！

Tell your classmates about one of your dreams.

 Listening: choose the correct answers.  09-05

1. A 不到10个小时 (bú dào shí ge xiǎoshí)　B 12个小时 (shí'èr ge xiǎoshí)　C 10个小时 (shí ge xiǎoshí)
2. A 有一点儿累 (yǒu yìdiǎnr lèi)　B 有一点儿饿 (yǒu yìdiǎnr è)　C 有一点儿热 (yǒu yìdiǎnr rè)
3. A 胖了很多 (pàngle hěn duō)　B 高了很多 (gāole hěn duō)　C 瘦了很多 (shòule hěn duō)
4. A 第二次 (dì èr cì)　B 第一次 (dì yī cì)　C 第三次 (dì sān cì)

2 Reading: choose the correct pictures.

5. 

A Wǒmen dōu hěn gāoxìng.
我们都很高兴。

B Nǐmen shì shénme shíhou rènshi de?
你们是什么时候认识的？

C Wǒmen shì qùnián bā yuè zài Zhōngguó rènshí de.
我们是去年八月在中国认识的。

6. 

A Bǐ qùnián duō yìxiē.
比去年多一些。

B Zuò fēijī yǒu yìdiǎnr lèi.
坐飞机有一点儿累。

C Sān niánjí yǒu yìbǎi duō ge xuésheng xué Hànyǔ.
三年级有一百多个学生学汉语。

7. 

A Shénme shíhou chī yào?
什么时候吃药？

B Zhōngwǔ yào chī yào ma?
中午要吃药吗？

C Yīshēng shuō, yì tiān chī sān cì, fànhòu chī.
医生说，一天吃三次，饭后吃。

8. 

A Nǐ shì shénme shíhou qù Běijīng de?
你是什么时候去北京的？

B Nǐ shuō shénme? Nǐ zài shuō yí cì.
你说什么？你再说一次。

C Wǒ hé bàba māma zuò fēijī qù Zhōngguó.
我和爸爸妈妈坐飞机去中国。

Lesson 10 爸爸为什么不休息？

Why doesn't Dad have a rest?

Key Sentences

Yīnwèi bàba yǒu hěn duō shìqing, suǒyǐ hěn máng.
- 因为爸爸有很多事情，所以很忙。
Because Dad has a lot of things to do, he is very busy.

Wǒ shì zài diànnǎo shang kàn de.
- 我是在电脑上看的。I saw it on the computer.

Let's learn 10-01

diànyǐng
电影 film, movie
看电影，电影院

wèi shénme
为什么 why
为什么不休息？

máng
忙 busy
很忙，太忙了

shìqing 事情	thing 很多事情，好事情
yìsi 意思	meaning 什么意思
yīnwèi … suǒyǐ … 因为……所以……	because …(so) … 因为忙，所以没有去。

Excuse Finder: Student A asks why something has happened and student B makes an excuse.

Let's read 10-02

Question: 女孩的爸爸为什么不休息？

Questions: 男孩在哪儿看的这个电影？电影的名字是什么？

1. Who is the busiest person in your family?
2. What movie have you seen recently?

1. Yīnwèi wǒ de diànnǎo huài le,
因为我的电脑坏了，

2. Míngtiān nǐ máng ma?
明天你忙吗？

3. Zhège diànyǐng nǐ shì zài nǎr kàn de?
这个电影你是在哪儿看的？

A. Wǒ shì zài diànyǐngyuàn li kàn de.
我是在电影院里看的。

B. Hěn máng, yǒu hěn duō shìqing.
很忙，有很多事情。

C. suǒyǐ bù néng shàngwǎng.
所以不能上网。

Find the reasonable reason to complete the sentences.

tā hái yǒu hěn duō shìqing A. 他还有很多事情	wǒ méi kàn dǒng B. 我没看懂
jīntiān shì dìdi de shēngrì C. 今天是弟弟的生日	yào xiàyǔ le D. 要下雨了
nàxiē dōu shì xīn jiàoshì E. 那些都是新教室	bēizi tài piàoliang le F. 杯子太漂亮了

1. Yīnwèi ________, suǒyǐ māma ràng wǒ ná yǔsǎn.
因为________，所以妈妈让我拿雨伞。

2. Yīnwèi ________, suǒyǐ wǒmen gěi tā mǎile dàngāo.
因为________，所以我们给他买了蛋糕。

3. Yīnwèi ________, suǒyǐ wǒmen hái méi qùguo.
因为________，所以我们还没去过。

4. Yīnwèi ________, suǒyǐ wǒ bù zhīdào shì shénme yìsi.
因为________，所以我不知道是什么意思。

5. Yīnwèi ________, suǒyǐ jīntiān tā yào wǎn yìdiǎnr huíjiā.
因为________，所以今天他要晚一点儿回家。

6. Yīnwèi ________, suǒyǐ hěn kuài jiù mài wán le.
因为________，所以很快就卖完了。

Using the example sentences above as a guide, give your partner a reasan and see if they can suggest a result.

Mini story

10-03

Měi ge rén dōu hěn máng
每个人都很忙

1

2

3

1 Nǐ bàba zài jiā ma? Wǒ néng hé tā shuōhuà ma? 你爸爸在家吗？我能和他说话吗？
2 Bàba zài jiā, dànshì yě bù néng shuōhuà. 爸爸在家，但是也不能说话。
3 Wèi shénme? 为什么？
4 Yīnwèi bàba xiànzài yě hěn máng. 因为爸爸现在也很忙。

4

5

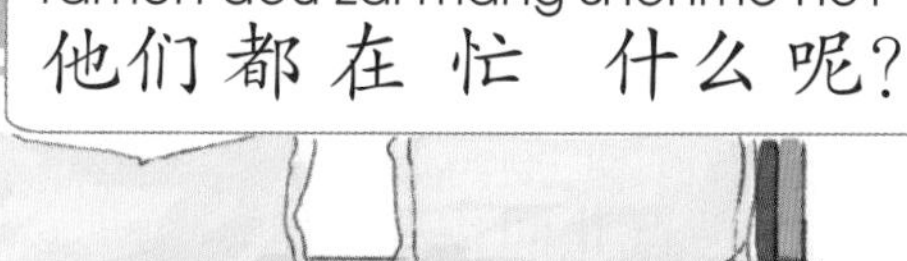

Do you know any other jokes? Can you tell the joke to your classmates in Chinese?

Test

1 Listening: choose the correct answers.  10-04

	A	B	C
1.	diànyǐng duō cháng shíjiān 电影 多 长 时间	diànyǐng yǒu méiyǒu yìsi 电影 有 没有意思	diànyǐngyuàn yǒu duō yuǎn 电影院 有多 远
2.	jīnnián bú tài máng 今年不太 忙	jīnnián méiyǒu qùnián máng 今年 没有 去年 忙	jīnnián tài máng le 今年 太 忙 了
3.	zìjǐ zuò shìqing hěn hǎo 自己做事情 很 好	bāng māma zuò shìqing hěn hǎo 帮 妈妈做事情很好	zìjǐ de shìqing hěn duō 自己的事情 很多
4.	qù xuéxiào 去学校	kàn yīshēng 看 医生	kàn diànyǐng 看 电影

2 Reading: choose the correct pictures.

A

B

C

D

5\. A: Jīntiān māma shìqing duō, bù néng sòng nǐ qù xuéxiào.
今天妈妈事情多，不能 送 你去学校。
B: Méi guānxi, wǒ zuò gōnggòng qìchē qù.
没关系，我坐 公共 汽车 去。 ☐

6\. A: Méi hé tā yìqǐ tiàowǔ, wèi shénme?
没和她一起跳舞，为 什么？
B: Yīnwèi jiǎo hái méi hǎo, suǒyǐ méi hé tā yìqǐ tiàowǔ.
因为脚还没 好，所以没 和她一起跳舞。 

7\. A: Wèi, māma, nín shénme shíhou huílai?
喂，妈妈，您 什么 时候 回来？
B: Wǒ jīntiān tài máng le, yào wǎn yìdiǎnr huíqù.
我今天太 忙 了，要 晚一点儿回去。 ☐

8\. A: Qù diànyǐngyuàn yào duō cháng shíjiān?
去 电影院 要多 长 时间？
B: Zǒu guoqu yào bàn ge xiǎoshí.
走 过去要半 个小 时。 ☐

Lesson 11

它长得很快。

It grows really fast.

Key Sentences

Tā zhǎng de hěn kuài.
- 它长 得很 快。It grows really fast.

Jīntiān nǐ chuān nǎ jiàn yīfu?
- 今天你 穿 哪件衣服？ What clothes are you going to you wear today?

Let's learn

11-01

qúnzi
裙子 dress, skirt
白裙子

kùzi
裤子 trousers
黑裤子

bái
白 white
白色

hēi
黑 black
黑色

kě'ài
可爱 cute, lovely
真可爱

zhǎng 长	grow 长得很快，长大
chūshēng 出生	birth 你是哪年出生的？
jiàn 件	(a measure word) 一件，哪件

"Black and White" Competition: Divide the class into two teams. Have a competition to see which team can say the most black and/or white things in Chinese.

Let's read

11-02

Question: 女孩为什么要穿白裙子和黑裤子？

Nǐmen hái rènshi tā ma? Tā jiù shì qùnián chūshēng de xióngmāo Pàngpang. Nà shíhou tā hěn xiǎo, dànshì tā zhǎng de hěn kuài. Xiànzài tā yí suì le, zhǎng de bǐ wǒmen gāo, bǐ wǒmen pàng. Tā háishì hěn kě'ài.

你们还认识它吗？它就是去年出生的熊猫胖胖。那时候它很小，但是它长得很快。现在它一岁了，长得比我们高，比我们胖。它还是很可爱。

Questions: 熊猫叫什么名字？它长得快吗？它多大了？

Tell your classmates what you know about panda.

Let's color and guess

Color in the pictures and find out what color they are when they were born.

Let's say

Wǒ de mèimei
我的妹妹
zhǎngdà le.
长大了。

Tā zhǎng de hěn piàoliang,
她长得很漂亮，
hěn kě'ài.
很可爱。

Tā de gèzi gāogāo de,
她的个子高高的，
tóufa chángcháng de.
头发长长的。

Tā de gèzi zhǎng de hěn kuài,
她的个子长得很快，
tóufa zhǎng de yě hěn kuài.
头发长得也很快。

Summarize the pronunciations and meanings of "长". Do you know any other similar characters?

Mini story

11-04

Yuēliang de qūnzi

月亮 的裙子

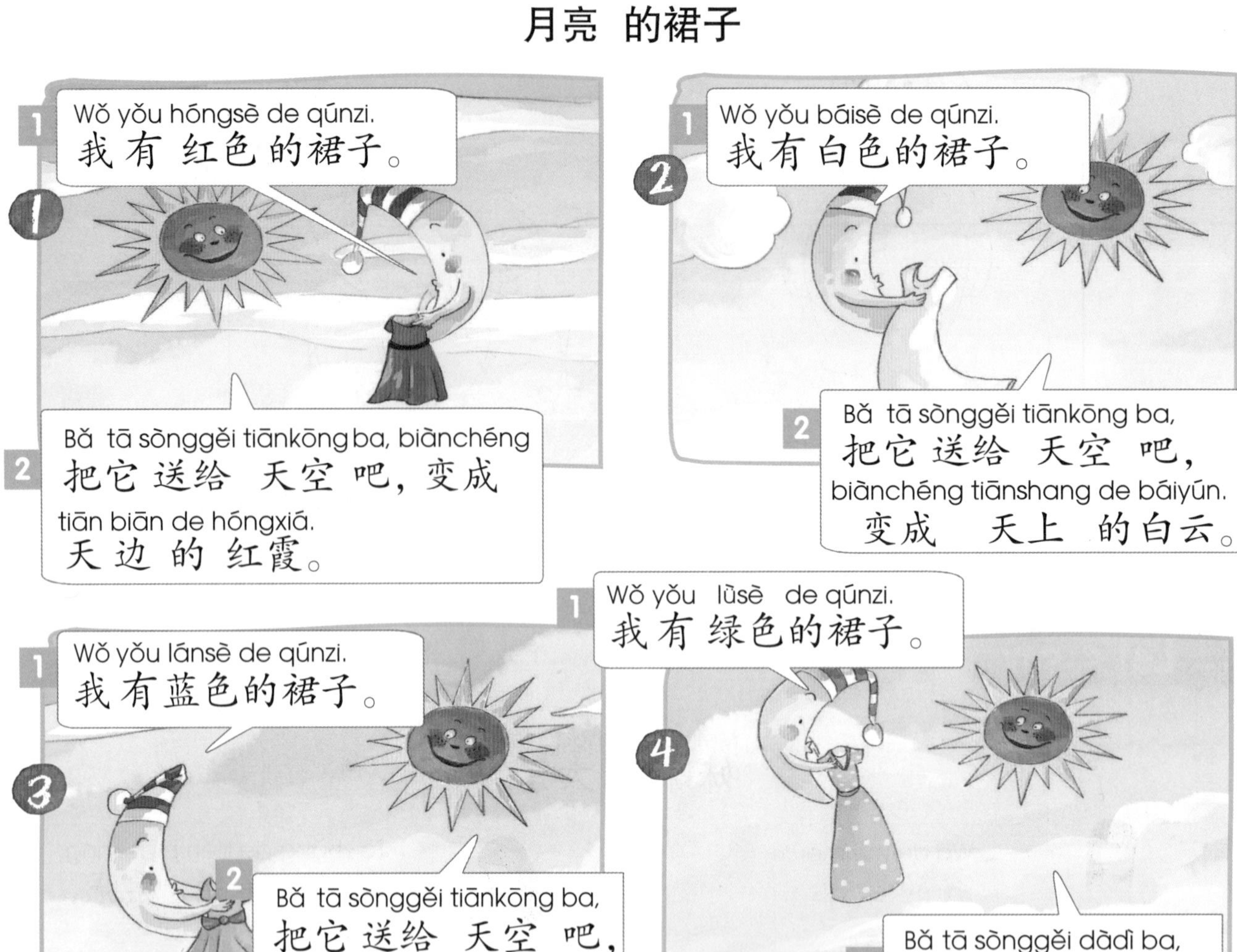

5

1 Wǒ chuān shénme qūnzi?
我穿什么裙子？

2 Wǒ yǒu huángsè de qūnzi, bǎ tā sònggěi nǐ!
我有黄色的裙子，把它送给你！

What's your favorite story of the sun or moon?

1 Listening: choose the correct pictures.

A B C D

1. □
2. □
3. □
4. □

2 Reading: choose the correct answers.

Gēge, wèi shénme yuèliang wǎnshang chūlai?
5. 女：哥哥，为什么月亮晚上出来？
Yīnwèi tā yào shuìjiào.
男：因为它（ ）要睡觉。
wǎnshang báitiān Xīngqītiān
A 晚上 B 白天 C 星期天

Wǒ jīntiān chuān zhè jiàn hǎo bu hǎo?
6. 女：我今天穿这件（ ），好不好？
Ràng wǒ kànkan.
女：让我看看。
hēi kùzi yīfu bái qúnzi
A 黑裤子 B 衣服 C 白裙子

Nǐ juéde báisè de kùzi zěnmeyàng?
7. 男：你觉得白色的裤子怎么样？
Nǐ shuō de shì nà xīn mǎi de ma?
女：你说的是那（ ）新买的吗？
jiàn tiáo zhī
A 件 B 条 C 只

Zhè zhī xiǎo māo de yǎnjing shì hēi de, hěn
8. 男：这只小猫的眼睛是黑的，很（ ）。
Shì, wǒmen jiālirén dōu hěn xǐhuan tā.
女：是，我们家里人都很喜欢它。
kuàilè kě'ài shūfu
A 快乐 B 可爱 C 舒服

Lesson 12 复习 Review

1 Group work. Sort the pictures below into the right categories and say the words aloud in Chinese.

1 

2 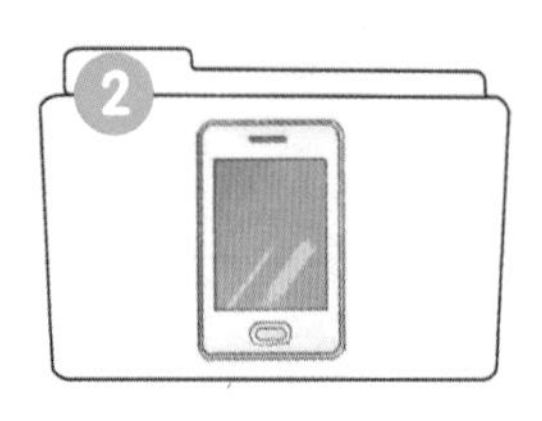

3 

4 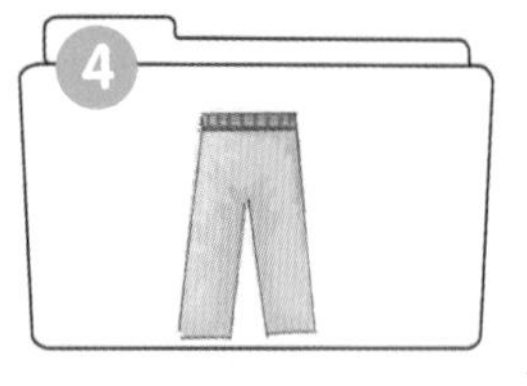

5 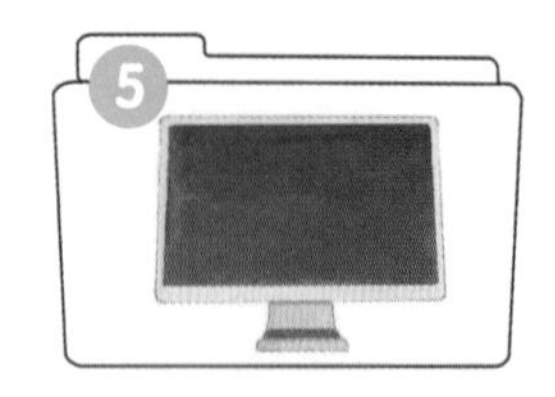

6 

7 

8 

9 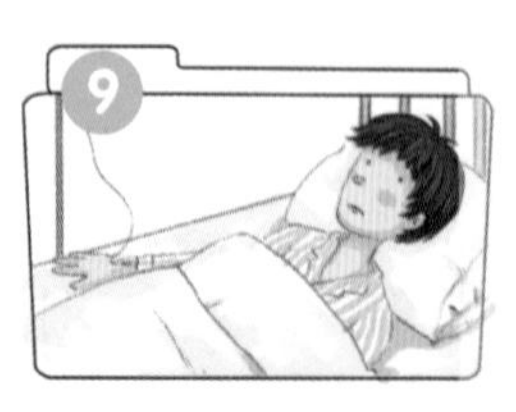

10 

11 

12 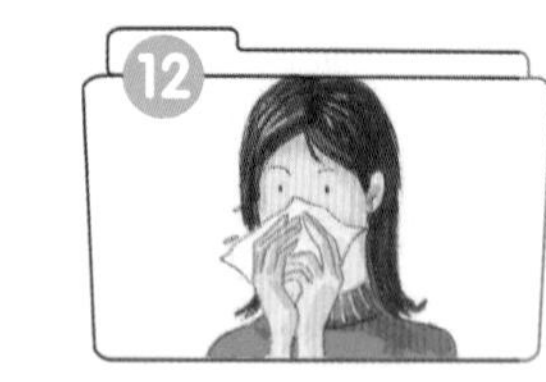

13 

14 

15 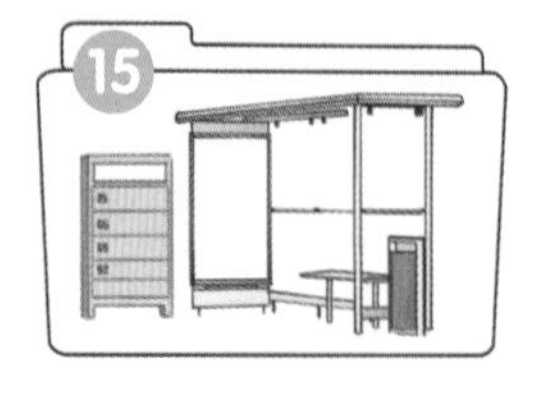

16 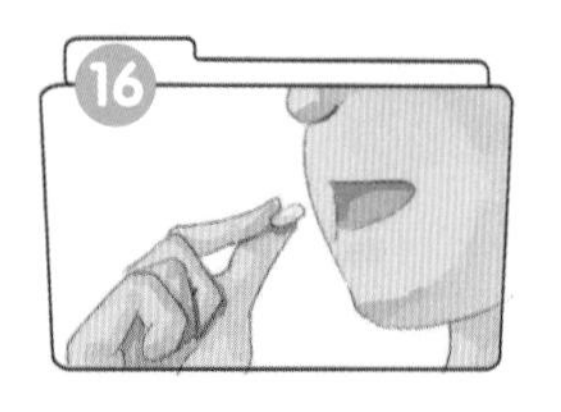

17 

18 

19 

20 

21 

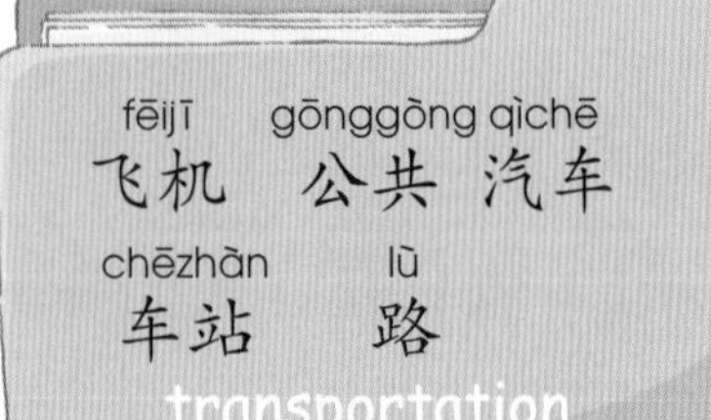

2 Group work. Read the words first and choose some of them to play the game.

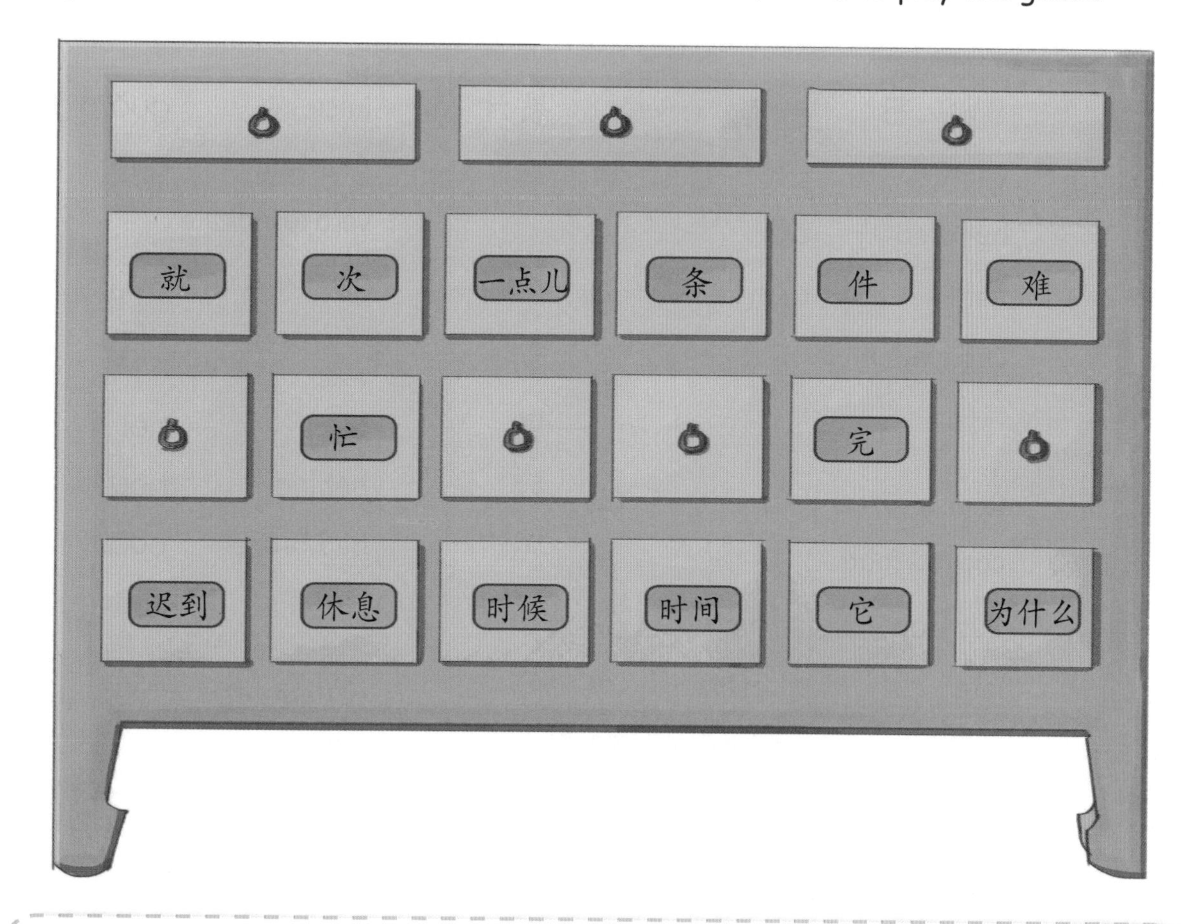

The teacher shows a flash card to all the students except the guesser.
Let 3 students make 3 sentences by using that chosen word, but they will clap hands instead of saying that word. Then the guesser tries to guess what that word is.

3 Pair work. Match the opposites below, and then use them to ask and answer questions.

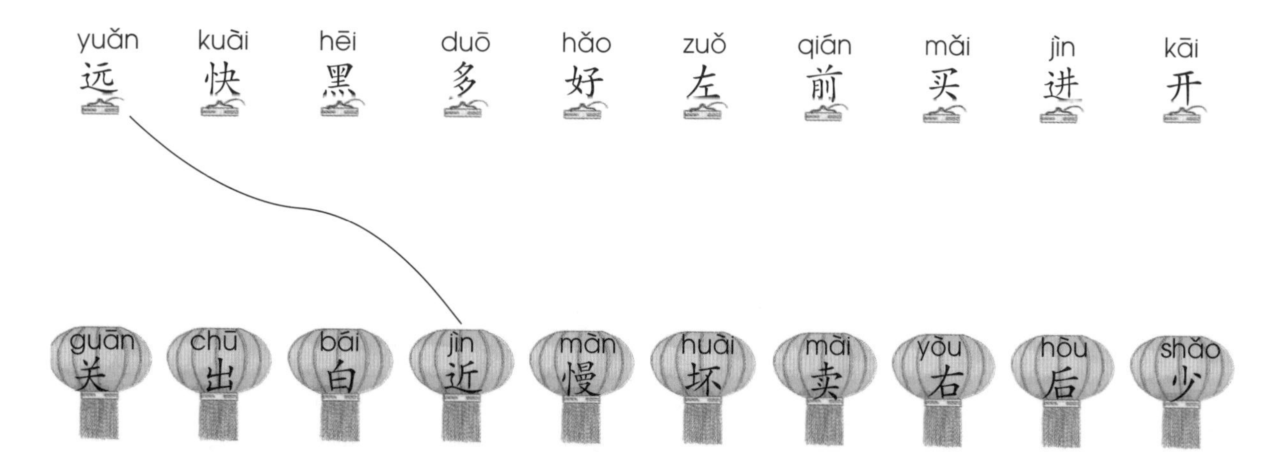

词语表
Vocabulary

B

白	white	bái	53
百	hundred	bǎi	3
半	half	bàn	8
杯子	cup,glass,mug	bēizi	13

C

菜	(a dish of) cooked food	cài	23
车站	bus stop	chēzhàn	33
迟到	late	chídào	38
出生	birth	chūshēng	53
次	time	cì	43

D

电脑	computer	diànnǎo	3
电影	film,movie	diànyǐng	48
懂	understand	dǒng	8
动物园	zoo	dòngwùyuán	33
读	read	dú	8
对	right	duì	33

F

飞机	plane	fēijī	43

G

感冒	have a cold	gǎnmào	18
公共汽车	bus	gōnggòng qìchē	33
关	close	guān	13
果汁	juice	guǒzhī	23
过	(used after a verb to indicate past experience)	guo	28

H

黑	black	hēi	53
后	behind	hòu	28
坏	bad,broken	huài	38

J

件	(a measure word)	jiàn	53
教室	classroom	jiàoshì	28
进	come in,go in	jìn	23
近	near	jìn	33
就	as early as,just	jiù	13

K

开	open	kāi	13
开	drive	kāi	33
可爱	cute, lovely	kě'ài	53
裤子	trousers	kùzi	53

L

蓝	blue	lán	38
累	tired	lèi	43
零	zero	líng	3
路	road	lù	33

M

卖	to sell	mài	13

慢	slow	màn	38
忙	busy	máng	48
门	door	mén	13

N

拿	take	ná	38
难	difficult	nán	8

P

旁边	beside	pángbiān	33

Q

千	thousand	qiān	3
前	front	qián	28
去年	last year	qùnián	43
裙子	dress, skirt	qúnzi	53

S

上网	surf the Internet	shàngwǎng	3
少	less	shǎo	3
身体	body,health	shēntǐ	18
生病	sick	shēngbìng	18
时候	time	shíhou	43
时间	time	shíjiān	8
事情	thing	shìqing	48
手机	mobile phone	shǒujī	3
舒服	comfortable	shūfu	18

T

它	it	tā	23
疼	hurt, ache	téng	18
题	question	tí	8
条	(a measure word)	tiáo	33

W

完	over, finished	wán	13
为什么	why	wèi shénme	48

X

洗澡	take a shower or bath	xǐzǎo	23
小时	hour	xiǎoshí	8
休息	have a rest	xiūxi	18

Y

药	medicine	yào	18
一点儿	a little, a bit	yìdiǎnr	18
意思	meaning	yìsi	48
因为……所以……	because...(so)...	yīnwèi...suǒyǐ...	48
右	right	yòu	28
鱼	fish	yú	23
雨伞	umbrella	yǔsǎn	38
远	far	yuǎn	33

Z

长	grow	zhǎng	53
中午	noon	zhōngwǔ	13
走	go	zǒu	28
左	left	zuǒ	28

课文和小故事翻译
Text and Mini Story Translation

Lesson 1 Let's read

Boy: How many students are there in your school?

Girl: We have 108 students.

Boy: So few. There are more than 1 800 students in our school.

Girl: 1 800? So many!

Son: Dad, I want to buy a new computer and a new mobile phone. My mobile phone can't go online.

Dad: How much money do you have?

Son: I have 20 *kuai*. A computer and a mobile phone cost 1 200 *kuai*.

Dad: Talk about this when you have 1 200 *kuai* then.

Lesson 1 Mini story

1. 100 has two zeros and 1 000 has three zeros. 100 and 1 000 both have zero.
2. 100 students is a few, and 1 000 students is a lot. 100 students or 1 000 students, they're all still students.
3. The new computer can go online, and the new mobile phone can go online. The computer and the mobile phone can both go online.

Lesson 2 Let's read

Teacher: How long have you been learning Chinese?

Girl: One and a half years.

Teacher: Do you think learning Chinese is difficult or not?

Girl: Listening, speaking and reading are not too hard, but writing characters is difficult.

Boy: I don't understand this question.

Robot: Which question?

Boy: If one hour is 60 minutes, is one and a half hours 30 minutes?

Robot: No, one and a half hours is 90 minutes.

Lesson 2 Mini story

The Monkey King and Superman

1. They are the Monkey King and Superman.
2. They can both fly in the sky.
3. They're not having a flying competition today. They're answering questions.
4. How many minutes is five and a half hours?
5. The Monkey King: Less than 1 minute.
   Superman: 150 minutes.
6. It is 330 minutes.

Lesson 3 Let's read

Boy: I want to buy some gifts. What time does the store open?

Girl: It opens as early as 8:30 in the morning.

Boy: Does it close at noon?

Girl: It doesn't close at noon, but it will be closed at 3:00 pm. You'd better hurry up.

Girl: I'd like to buy two tiger mugs.

Salesperson: Tiger mugs are sold out.

Girl: Isn't this one?

Salesperson: No, it's a cat.

Lesson 3 Mini story

Why can't I shut the door?

1. It's midday and the little monkey is sitting by the door eating a piece of fruit for lunch.
2. After finishing his piece of fruit, the little monkey wants to close the door before going out to play football.
3. Little monkey: Hey, why can't I shut the door?
4. Little monkey: What's this?

5. Little monkey: Sorry, this shouldn't be here.
6. After closing the door, the little monkey goes off happily to play football.

Lesson 4 Let's read

Mom: Hello, teacher! Daming doesn't feel well and can't go to school today.
Teacher: What's the matter with him? Is he sick?
Mom: He has a cold and a headache and wants to sleep.
Teacher: OK, let him have a rest at home.

Mom: Have you had anything to eat?
Daming: Yes, I had a little bread and water.
Mom: Did you take the medicine?
Daming: Not yet. Is it OK if I don't take the medicine?

Lesson 4 Mini story

Is the fox sick?

1. Dog: My eyes hurt.
   Doctor Rooster : Take some medicine.
2. Panda: I have a cold, and my nose is uncomfortable.
   Doctor Rooster : Drink more water.
3. Doctor Rooster : What's wrong with you?
   Bird: My hand hurts.
4. Cat: My leg hurts.
   Doctor Rooster : You need more rest.
5. Doctor Rooster : What's wrong with you?
   Fox: I...
6. Fox: I want to eat you!
   Doctor Rooster : Help!

Lesson 5 Let's read

Mom: What are you doing? Can I come in?
Girl: Come in please and close the door.
Mom: Why is the puppy here?
Girl: I'm giving it a bath.

Girl: What are we having for dinner today?
Dad: We're having fish, rice and vegetables, and drink some juice.
Girl: Fish? Where is the fish?
Dad: Oh no, the kitten ate the fish!

Lesson 6 Let's read

Girl: Have you been to our new classroom?
Boy: Yes. It's big and beautiful.
Girl: I haven't been there yet. Can you go and have a look with me?
Boy: OK. Let's go.

Boy: Look, in front of us are all new classrooms.
Girl: So beautiful! There are also lots of flowers.
Boy: On the left are classrooms of Grade 1, while on the right are classrooms of Grade 2.
Girl: Where is our classroom?
Boy: Our classroom is behind the classrooms of Grade 2.

Lesson 6 Mini story

Pictures on the bottom of the shoes

1. Two kids are competing to see who is the quicker one to put on his clothes.
2. Boy 1: I'll put on the right side first.
   Boy 2: I'll put on the left side first.
3. Boy 2: Which one is the left side? Which one is the right side?
4. David quickly tells the left side from the right side.
5. The pictures on the bottom of his shoes help him to win.

Lesson 7 Let's read

Boy: How do you go to school everyday?
Girl: I go to school by bus and my brother drives to school.
Boy: Is your school far away?
Girl: My school is very near, but my brother's school is a little far.

Girl 1: This is the way to the zoo, isn't it?
Boy: Yes. But it's a little far. You can go by bus.
Girl 2: Where is the bus stop?
Boy: The bus stop is just nearby.

Lesson 8 Let's read

Mom: It's going to rain. Have you got an umbrella?
Boy: Yes, I have.
Mom: Don't take the blue umbrella. That one is broken.

Rabbit: You're driving too slowly, even slower than I walk.
Turtle: Slowly is good. Slowly is good.
Rabbit: We're going to be late. Drive faster.
Turtle: I don't like driving fast.

Lesson 8 Mini story

The turtle's watch

1. Rabbit: We're going to be late. Hurry up!
2. Turtle: It's 10 o'clock now. There's still half an hour.
3. Rabbit: Is your watch broken? It's 11 o'clock now!
4. Turtle: Ah? My watch is an hour slow.
   Rabbit: You walk slowly, and your watch walks slowly too!

Lesson 9 Let's read

Girl: Have you ever been to China?
Boy: Yes, I have. What about you?
Girl: I've never been there. When did you go there?
Boy: I went there in August last year.

Last year, I went to China with my Mom and Dad. We went there by plane. It was the first time I've ever taken a plane.

China is very far away. It took us 13 hours to fly there. We were a little tired, but we were all very happy.

Lesson 9 Mini story

Where is our home?

1. Baby panda: Mom, big brother went home by plane last year. When will I go home?
   Mom panda: You are too young. It would be too tiring for you to go home by plane.
2. Baby panda: Is our home very far away? Where is our home?
   Mom panda: Our home is in China.
3. Baby panda: What does our home look like?
   Mom panda: There are huge squares, long walls and high mountains.
4. Baby panda: Are there bamboos?
   Mom panda: Yes, there are best bamboos!

Lesson 10 Let's read

Girl: Why doesn't Dad have a rest?
Mom: Because Dad is too busy.
Girl: Why is Dad so busy?
Mom: Because Dad has a lot of things to do, he is very busy.

Boy 1: Have you seen this movie?
Boy 2: Yes, I have. I saw it on the computer.
Boy 1: I've seen it too. But I didn't understand. What's the meaning of the movie's name?
Boy 2: I don't know, either.

Lesson 10 Mini story

Every one is busy

1. Salesman: Hello!
   Boy: Hello!
2. Salesman: Can I talk with your mom?
   Boy: No, you can't. Mom is busy now.
3. Salesman: Is your dad home? Can I talk with him?
   Boy: Dad is at home, but he can't talk either.
   Salesman: Why?
   Boy: Because Dad is also busy now.

4. Salesman: Is there anyone else in your home?
   Boy: Some policemen.
   Salesman: Can I talk with them?
   Boy: No.
5. Salesman: Why?
   Boy: Because they are busy too.
   Salesman: What are they busy doing?
   Boy: They are busy looking for me.

Lesson 11 Let's read

Mom: What are you going to wear today?
Girl: I am going to wear that white skirt and black pants.
Mom: Why?
Girl: Because today I'm the panda.

Do you still recognize it? It is the panda Pangpang born last year. At that time it was very small, but it's grown really fast. Now it's one year old, and is taller and fatter than us. It is still very cute.

Lesson 11 Mini story

The moon's dress

1. Moon: I have a red dress.
   Sun: Give it to the sky. The dress became the rosy clouds in the sky.
2. Moon: I have a white dress.
   Sun: Give it to the sky. The dress became the white clouds in the sky.
3. Moon: I have a blue dress.
   Sun: Give it to the sky. The dress became the blue sky.
4. Moon: I have a green dress.
   Sun: Give it to the earth. The dress became the grass.
5. Moon: Which dress shall I wear?
   Sun: I have a yellow dress, and I'll give it to you!

测试页听力文本
Test Listening Scripts

Lesson 1

1. 我的电脑坏了，不能上网了。
2. 十个一百是一千。
3. 二零零八年五月。
4. 怎么少了一本书？

Lesson 2

1. 男：这个字怎么读？你知道吗？
   女：知道，这是“绿色”的“绿”。
2. 男：真热，还有西瓜吗？
   女：还有一半。
3. 男：老师，这个题我不会。
   女：我看看。
4. 男：跳舞难不难？
   女：不难，我很快就能学会。

Lesson 3

1. 男：商店中午关门吗？
   女：不关门。
2. 男：中午我们一起跑步，好吗？
   女：对不起，我没穿运动鞋。
3. 女：家里没有水果了，你去买一些吧。
   男：好的，我看完电视就去。
4. 男：这儿有水果店吗？我想买些苹果。
   女：旁边那家商店就有。

Lesson 4

1. 学校外面有动物医院，你去那儿看看吧。
2. 对不起，我昨天生病了，没有来。
3. 感冒了，吃一点儿药吧。
4. 我的脚不疼了，下星期就可以去跑步。

Lesson 5

1. 男：妈妈，我的鱼呢？
   女：小猫把鱼吃了。
   问：小猫做了什么？
2. 女：我可以进来吗？
   男：请进，快把门关上。
   问：男的让女的做什么？
3. 女：水、牛奶、果汁，你最喜欢喝哪个？
   男：我最喜欢喝果汁。
   问：男的最喜欢喝什么？
4. 女：爸爸，我们的小猫呢？
   男：小猫在那儿看鱼游泳呢。
   问：小猫在做什么？

Lesson 6

1. 小猫在后边，我看过了。
2. 走，我们去左边看小鱼。
3. 教室里还有5个学生。
4. 坐在最前边的那个是我的学生。

Lesson 7

1. 女：走这条路，对吗？
   男：不对，你的车不能开进去。
   问：男的觉得走这条路对吗？
2. 男：我开车送你到车站吧。
   女：时间还早，我坐公共汽车就可以。
   问：男的想送女的到哪儿？
3. 男：学校到车站远吗？
   女：很近，走5分钟就能到。
   问：女的觉得学校到车站远吗？
4. 男：那个商店远不远？我想去看看。
   女：不远，就在学校旁边。
   问：商店在哪儿？

Lesson 8

1. 男：请把这四个椅子拿进去。
   女：坏的也拿吗？
2. 男：红色和黑色的雨伞，你喜欢哪一个？
   女：这两个颜色我都不喜欢，我喜欢蓝色的。

3. 男：我的铅笔坏了，你还有铅笔吗？
   女：有，在书包里，你自己拿吧。
4. 男：你做的面条真好吃。
   女：慢点儿吃，还有很多。

Lesson 9

1. 坐飞机到北京要10个小时。
2. 我今天有一点儿累，不去跑步了。
3. 我的个子比去年高了很多。
4. 我第一次做饺子，好吃吗？

Lesson 10

1. 男：昨天我和同学去看电影了。
   女：电影有意思吗？
   问：女的想知道什么？
2. 女：和去年比，你瘦多了。
   男：因为今年比去年忙。
   问：男的是什么意思？
3. 男：我会自己穿衣服。
   女：很好，自己的事情自己做。
   问：女的是什么意思？
4. 男：天气这么热，我们去游泳吧。
   女：不去了，我和妈妈去看电影。
   问：他们为什么不去游泳？

Lesson 11

1. 女：这条红色的裙子怎么样？
   男：很漂亮，比黑色的好看。
2. 男：妈妈，这条裤子是什么时候买的？
   女：是你出生那年买的。
3. 男：这件衣服太小了，是他的吗？
   女：是的，他长得太快了！
4. 男：你好，这件运动服有黑色的吗？
   女：对不起，这是最后一件了。

测试页答案
Test Answers

Lesson 1

1. √ 2. × 3. × 4. √
5. B 6. D 7. A 8. C

Lesson 2

1. √ 2. × 3. √ 4. √
5. B 6. D 7. A 8. C

Lesson 3

1. √ 2. × 3. √ 4. √
5. C 6. B 7. C 8. B

Lesson 4

1. √ 2. √ 3. √ 4. ×
5. D 6. A 7. C 8. B

Lesson 5

1. B 2. A 3. C 4. B
5. C 6. A 7. B 8. D

Lesson 6

1. × 2. √ 3. × 4 √
5. C 6. A 7. C 8. C

Lesson 7

1. C 2. B 3. B 4. C
5. D 6. A 7. B 8. C

Lesson 8

1. C 2. D 3. A 4. B
5. B 6. C 7. A 8. B

Lesson 9

1. C 2. A 3. B 4. B
5. A 6. B 7. A 8. C

Lesson 10

1. B 2. C 3. A 4. C
5. B 6. C 7. A 8. D

Lesson 11

1. D 2. C 3. B 4. A
5. B 6. B 7. B 8. B

YCT 奖状

__________同学：

恭喜你学完《YCT标准教程4》，表现优秀，特颁此奖状表示鼓励。

教师签名：__________

日期：______________

YCT Award

This award is presented to

____

For an outstanding performance while studying *YCT Standard Course 4*.

Teacher:______________

Date:________________

图书在版编目（CIP）数据

YCT 标准教程 . 4 / 苏英霞主编 ；王淑红，解红分册
主编 . -- 北京 ：高等教育出版社，2016.11
ISBN 978-7-04-044844-3

Ⅰ. ①Y… Ⅱ. ①苏… ②王… ③解… Ⅲ. ①汉语－对外汉语教学－水平考试－教材 Ⅳ. ①H195.4

中国版本图书馆CIP数据核字(2016)第033091号

策划编辑 金飞飞　责任编辑 李 玮　封面设计 冰河时代　版式设计 冰河时代
插图绘制 冰河时代 蓝色梦境　责任校对 李 玮　责任印制 尤 静

出版发行 高等教育出版社
社　　址 北京市西城区德外大街4号
邮政编码 100120
印　　刷 北京鑫丰华彩印有限公司
开　　本 889mm×1194mm 1/16
印　　张 5
字　　数 70千字
购书热线 010-58581118
咨询电话 400-810-0598
网　　址 http://www.hep.edu.cn
http://www.hep.com.cn
网上订购 http://www.hepmall.com.cn
http://www.hepmall.com
http://www.hepmall.cn
版　　次 2016年11月第1版
印　　次 2016年11月第1次印刷
定　　价 72.00元

本书如有缺页、倒页、脱页等质量问题，请到所购图书销售部门联系调换

物 料 号 44844-00